Barbapapa

Barbamama

Barbidou

Barbibul

Barbalala

Les Livres du Dragon d'Or
60 rue Mazarine, 75006 Paris.
Copyright © 1974 Tison/Taylor, Copyright renewal © 2005 A.Tison, all rights reserved.
Loi n° 49-956 du 16 juillet 1949 sur les publications destinées à la jeunesse.
ISBN 978-2-87881-315-9. Dépôt légal : septembre 2005.
Imprimé en Italie par ERCOM.

9 8 7 6 5

BARBAPAPA

Le Pique-nique

Annette Tison & Talus Taylor

LES LIVRES DU DRAGON D'OR

C'est une belle journée
pour une excursion.

Mais le chien de Barbidou
n'aurait pas dû grimper dans
le panier du pique-nique !

L'aigle a emporté le panier dans son nid.
Il va falloir monter tout là-haut !

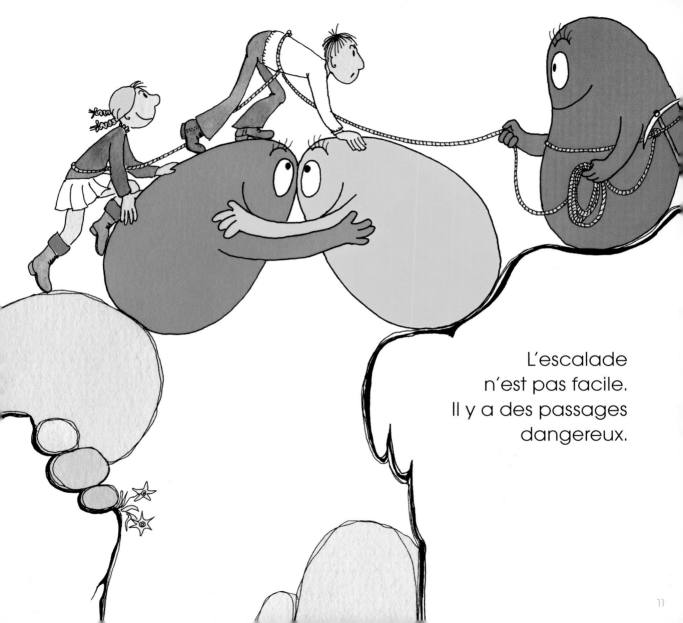

L'escalade
n'est pas facile.
Il y a des passages
dangereux.

Les ours n'aiment
pas être dérangés,
mais les oursons
trouvent Barbouille
très sympathique.

Enfin sauvé !

Mais les pauvres aiglons
meurent de faim...

Heureusement, il y a assez de sandwiches pour tout le monde.

Le brouillard tombe.
Comment faire pour descendre ?

Il suffit d'avaler beaucoup
d'air pour se transformer...

...en ballon et descendre
doucement de la montagne.

19

Les voici de retour,
sains et saufs.